POEMS

نظمیں

Noshi Gillani

POEMS

نوشی گیلانی

نظمیں

ENITHARMON PRESS

in association with

poetry translation centre

First published in 2008
by Enitharmon Press
26B Caversham Road
London NW5 2DU

www.enitharmon.co.uk

Distributed in the UK by
Central Books
99 Wallis Road
London E9 5LN

Distributed in the USA and Canada
by Dufour Editions Inc.
PO Box 7, Chester Springs
PA 19425, USA

ISBN: 978-1-904634-75-1

Enitharmon Press gratefully acknowledges the financial support of
Arts Council England, London.

British Library Cataloguing-in-Publication Data.
A catalogue record for this book is available
from the British Library.

Designed in Albertina by Libanus Press
and printed in England by
Cambridge University Press

Contents

Introduction

Noshi Gillani, who was born in 1964 in Bahwalpur in the South Punjab, is one of the leading Urdu poets of Pakistan. After she married in 1994, she left her seven-year academic career in Pakistan and migrated to the USA, where she is now an important figure among poets of the Pakistani diaspora.

Her poetry collections published in Pakistan include *Mohabatain Jub Shumar Kurna (When You Count Affections,* 1993), *Udas Honay Kay Din Naheen (These Are Not the Days of Sadness,* 1997), *Pehla Lafz Mohabat Likha (The First Word of Love,* 2003), and selected poems: *Ay Meeray Shureek-E-Risal-E-Jaan, Hum Tera Intezaar Kurtay Rahey* (*O My Beloved, I Kept Waiting for You,* 2008).

Poetry is of overwhelming importance in Pakistani society, and Urdu poetry in particular reminds us of our country's deep cultural ties with the pre-colonial and Indo-Persian heritage of South Asia. Urdu was the court language of the Mughals and became the main choice of male *shairs* (poets). The historic changes that took place in South Asia towards the end of the colonial era (culminating in the partition of India in 1947) brought with them the appearance of a number of female poets, including the feminist Kishwar Naheed (born in 1940) and her contemporary Fahmida Riaz (born in 1946), both of whom have been translated into English and had their work published in the UK.

Noshi is a member of a younger generation of female poets. However, what distinguishes her from her contemporaries is her experience of living in exile in the US, an experience that has had a notable impact on the quest for identity that informs a significant number of her poems. In addition, living through diaspora has increased the complexity of her poems, both reinforcing her sense of female identity in her rebellion against the repression creative writers endure within Pakistani society and keeping her sense of self intact through the processes of migration and settlement in the West. These ideas form the subject of many of her poems, such as 'This Prisoner Breathes', 'Kept Compromising in Life' and 'I Say Nothing Anywhere'. Related to this theme of women struggling against social taboos are images that exemplify her freedom metaphorically; the poet personifies herself in many of her poems as a butterfly ('To catch butterflies . . .'), the breeze ('The breeze rewrites'), or light ('There was a heart that burnt out: light'). Her use of metaphor is also associated with the inspiration Noshi derives from Sufism, an example of which is reflected in poems that deal with journeys through deserts ('Can someone bring me my entire being?', 'This prisoner breathes'). The desert symbol is borrowed directly from the Sufi tradition, illuminating the poet's inner journey towards self-identification and her real life journey from the East to the West.

Within the South Asian context the significance of the oral nature of poetry is kept alive through *Mushairas*. These are events, usually well attended, in which the poet recites or sings her poems, directly stimulating a profound emotional reaction in the audience, who themselves participate in the recital through their verbal responses to the poet. This interaction between the poet and audience creates an impact which is unimaginable through simply reading the poems in a book. *Mushairas* continue to be a vital part of poetry in Urdu. Many people can't afford to buy poetry books and so they treasure the experience of directly engaging with the poet. And often their passion for poetry encourages them to memorise these poems by heart. Noshi's public performances articulate the emotions of her poetry far more intensely than simply reading her poems either in the original or in translation. The Poetry Translation Centre's World Poets' Tour of 2008 is therefore a rare opportunity for the lovers of Urdu *shairi* (poetry) in Britain. The tour offers them a unique chance to share the sentiments of a modern Pakistani woman, who specializes in encapsulating her delicate emotions and intricate life in a handful of heartbreaking lines, as for instance in this couplet:

> You know only dreams
> We know the danger of dreams.

And, in a brief poem titled, 'Insight' she writes:

> I have a feeling
> That wherever I glance
> There will be disaster.

NUKHBAH LANGAH

اختیار

ہوا کو لکھنا جو آگیا ہے
اب اُس کی مرضی کہ وہ خزاں کو بہار لکھ دے
بہار کو انتظار لکھ دے

سفر کی خواہش کو واہموں کے عذاب سے ہمکنار لکھ دے
وفا کے رستوں پہ چلنے والوں کی قسمتوں میں غبار لکھ دے
ہوا کو لکھنا جو آگیا ہے

ہوا کی مرضی کہ وصل موسم میں ہجر کو حصّہ دار لکھ دے
محبتوں میں گزرنے والی رُتوں کو ناپائیدار لکھ دے
شجر کو کم سایہ دار لکھ دے
ہوا کو لکھنا جو آگیا ہے

اب اس کی مرضی کہ وہ ہمارے دیے بجھا کر
شبوں کو بااختیار کرکے سحر کو بے اعتبار لکھ دے
ہوا کو لکھنا سکھانے والو!
ہوا کو لکھنا جو آگیا ہے

THE BREEZE REWRITES

Now that the breeze has learnt to write
She can choose to rewrite autumn as spring
To redefine spring as waiting

Now that the breeze has learnt to write
She can transform the urge to travel into a curse
And curse those sticking to a faithful path

Now that the breeze has learnt to write
Coming together is described as moving apart
Love, portrayed as a weakness
A tree, something that cannot give shade

Now the breeze can extinguish our lanterns
Give credence to dusk, dismiss unreliable dawn

Oh all you who teach the breeze to write!
Now that the breeze has learnt to write

کوئی مجھ کو مِرا بھرپور سراپا لا دے
مِرے بازوں، مِری آنکھیں، مِرا چہرہ لا دے

ایسا دریا جو کسی اور سمندر میں گرے
اس سے بہتر ہے مجھ کو مِرا صحرا لا دے

کچھ نہیں چاہیے تجھ سے اے مِری عمرِ رواں
مِرا بچپن، مِرے جگنو، مِری گڑیا لا دے

نیا موسم مِری بینائی کو تسلیم نہیں
مِری آنکھوں کو وہی خواب پرانا لا دے

جس کی آنکھیں مجھے اندر سے بھی پڑھ سکتی ہوں
کوئی چہرہ تو مِرے شہر میں ایسا لا دے

کشتیٔ جاں تو بھنور میں ہے کئی برسوں سے
اے خدا اب تو ڈبو دے یا کِنارا لا دے

Can someone bring me my entire being?
My arms, my eyes, my face?

I am a river flowing into the wrong sea
If only someone could restore me to the desert

Life goes on but I want no more from it
Than my childhood, my firefly, my doll

My vision does not admit this new season
Take me back to my old dream

Of finding one face among the many in my city
Whose eyes can read deep into me

My life has been a boat in a whirlpool for so long
O god, please let it sink or drift back to the desert

تم نے تو صِرف خواب دیکھے ہیں
ہم نے اِن کے عذاب دیکھے ہیں

کشف

مجھے محسوس ہوتا ہے
جہاں میں آنکھ جھپکوں گی
وہیں پر حادثہ ہو گا

موسموں کی تبدیلی

موسموں کی تبدیلی
کوئی راز ہی کھولے
خوف کے جزیرے میں
راستہ دکھانے کو
اُس کی درد آنکھوں کی
روشنی ہی اب بولے

You know only dreams
We know the danger of dreams

INSIGHT

I have a feeling
That wherever I glance
There will be disaster

A CHANGE OF SEASON

A change of season
Exposes something
Hidden in her fear:
A way across that island
Lit by the pain in her eyes

یہ قیدی سانس لیتا ہے

اِن آوازوں کے جنگل میں
مِرے پر باندھ کر اُڑنے کا کہتے ہو
رہا کرتے نہیں لیکن
رہائی کے لیے بینائی کو اِک جُرم کہتے ہو
مِری پلکوں کو سی کر
موسموں کو جاننے پہچاننے کی شرط رکھتے ہو
مِرے پاؤں کو زنجیروں کی بے چہرہ صداؤں سے ڈراتے ہو
مِری آزادئ پرواز کی خواہش کو جنگل کے لیے آزار کہتے ہو
مِرے جذبوں کی کشتی کو جلاتے ہو
مِرے افکار کے دریاؤں کو صحراؤں کا قیدی بناتے ہو
مگر سُن لو
کوئی موسم ہو
حبس و جبر کا، صحرا کا، جنگل کا
یہ قیدی سانس لیتا ہے

THIS PRISONER BREATHES

I am trapped in a jungle of voices
In which I cannot spread my wings
Even so, you insist that I take flight
You will not set me free
And are so offended by my point of view
That you stitch my eyelashes closed
You insist I must explain the weather
Terrorise my feet with echoes of chains
You say that my desire to be free
Is too much for your precious jungle
Yet you set fire to the boat carrying my feelings
Surround this sea of feeling with desert sand
But listen!
Whatever happens . . .
Suffocation, torture, desert or jungle
This prisoner breathes

کہیں کرتے نہیں اظہار، چُپ ہیں
ہمیں تو حُکم ہے سرکار، چُپ ہیں

کہانی کچھ بتانا چاہتی ہے
مگر اس کے سبھی کِردار، چُپ ہیں

بہت ہے بارشِ سنگِ ملامت
مگر ہم صورتِ کوہسار، چُپ ہیں

ابھی تک ہے بہت محفوظ قاتل
کہ مقتل کے در و دیوار، چُپ ہیں

پتہ رہزن کا خلقت پوچھتی ہے
مگر بستی کے پہریدار، چُپ ہیں

وہی موسم، وہی زنجیرِ شب ہے
مگر یہ لوگ کیوں اس بار، چُپ ہیں

I say nothing anywhere, I am silent
While you, as if my lord, order me silent

The story has something to say
But its characters are silent

Blame rains down
Yet, like a stone, I am silent

Till now the killer has been quite safe
Because the walls and doors are silent

People demand the killer's whereabouts
But the village guards are silent.

The same chained evening, same time of year
But why this time is everyone silent?

'تتلیاں پکڑنے کو ....'

کِتنا سہل جانا تھا
خوشبوؤں کو چُھو لینا
بارشوں کے موسم میں شام کا ہر اِک منظر
گھر میں قید کر لینا
روشنی ستاروں کی مٹھیوں میں بھر لینا

کِتنا سہل جانا تھا
خوشبوؤں کو چُھو لینا
جگنوؤں کی باتوں سے پھُول جیسے آنگن میں
روشنی سی کر لینا
اس کی یاد کا چہرہ خوابناک آنکھوں کی
جھیل کے گلابوں پر دیر تک سجا رکھنا
کِتنا سہل جانا تھا

اے نظر کی خوش فہمی! اس طرح نہیں ہوتا
'تتلیاں پکڑنے کو دور جانا پڑتا ہے'

'TO CATCH BUTTERFLIES . . .'

I once thought it easy
To seize fragrance
To capture the evenings of monsoon
While sitting at home
To clutch starlight in my hand

I once thought it easy
To seize fragrance
To light the flower that is my courtyard
With the whisper of fireflies
To hold his memory in my dreaming eyes
Like roses cast upon a lake
I had thought it easy . . .

How I fooled myself! How could it happen?
'To catch butterflies, you have to go far enough.'

پھُول کے دل پہ ضرب کاری ہے
خوشبوؤں کی ہوا سے یاری ہے

ہم سے قاتل کے خال و خد پوچھو
ہم نے مقتل میں شب گزاری ہے

تم جو چاہو تو ہم پلٹ جائیں
یہ سفر اب بھی اختیاری ہے

سو گئیں شہر کی سبھی گلیاں
اب مِرے جاگنے کی باری ہے

شام کی بے یقین آنکھوں میں
کیفیت ساری انتظاری ہے

وصل کو کیسے معتبر سمجھیں!
ہجر کا خوف دِل پہ طاری ہے

آج تو دل کی بات کہنے دو
آج کی شام تو ہماری ہے

The flower is torn at the heart
Its fragrance befriends the breeze

Who can tell who destroyed it?
We have spent this evening under sentence

No one has to go on this journey
I can still turn round, if you want

Every street in this city is asleep
It's my turn to stay awake

In the uncertain view of this evening
The whole thing wavers

How can we honour our union
When my heart is gripped by fear of separation

My heart desires above all
That we make this evening ours

نشانی کوئی تو اب کے سفر کی گھر لانا
تھکان پاؤں کی اور تتلیوں کے پر لانا

میں لکھ رہی ہوں کہانی تِری رفاقت کی
جو ہو سکے تو کوئی حرف، معتبر لانا

یہی نہ ہو کہ مسلسل وفا تھکا ڈالے
محبّتوں میں نیاپن تلاش کر لانا

جو کوہ قاف چلے ہو تو چاند چہروں کا
مجسّمہ کوئی اچھا تراش کر لانا

سفر کے شوق میں چل تو پڑے ہو تم گھر سے
دُکھوں کی گرد سے دامن نہ اپنا بھر لانا

عجب فضا ہے جہاں سانس لے رہے ہیں ہم
گھروں کو لوٹ کے آنا تو چشمِ تر لانا

Please bring a token home from each journey
Along with your worn-out feet, bring butterfly wings

I am writing the story of our companionship
If you can, please bring a noble word

I hope fidelity will not exhaust us
That we can renew this romance

That if in some enchanted place, you are captured
by a moonlit face, you will carve a likeness, bring it home

Your passion for travel takes you away from home
Please do not bring back regret like dust in your pockets

It is strange air that we all breathe
May your eyes fill when you come home

آسماں سے آخری بات

مِرے پاؤں چھلنی ہوئے مگر
کہیں رُک سکا نہ مِرا سفر
مِری نارسائی کے ہاتھ میں
نہ چراغ ہے، نہ کوئی ہُنر
کسی راستے کی تلاش میں
ہے لہو لہو مِری چشمِ تر
مِری بے بسی کے حساب میں
اے مِرے خدا، مِرے معتبر
کوئی ہمسفر
کوئی ہمسفر

LAST CONVERSATION WITH THE SKY

Although my feet are worn to shreds
My journey ended nowhere
Because I am incapable
I have neither a lamp nor the ability
To search for a way ahead
This is all so difficult
Such strain that my eyes
Weep not tears but blood
Such is my helplessness
O my lord, my honoured one!
A companion
A companion

ہوا رُخ بدل بھی سکتی ہے

تمھیں خبر ہے
ہوا رُخ بدل بھی سکتی ہے
پرندے اپنے بسیروں میں شام ڈھلنے پر
ہُوا ہے یوں کہ پلٹنا بھی بھُول جاتے ہیں
بہار رُت میں درختوں کی ٹہنیوں سے کبھی
خزاں سے پہلے ہی پتے بچھڑنے لگتے ہیں
اور ایک عمر گزاری ہو جن کے رستوں پر

وہی تمام ریاضت کو دُھول کرتے ہیں
تمھارے لب پہ اُبھرتی ہوئی خفیف ہنسی
یہ کہہ رہی ہے بھلا اس میں کیا نیاپن ہے
مگر تمام کہانی میں اب نئے تم ہو
تمھیں خبر ہے
مگر یہ تمھیں خبر کب ہے
تمھارے زعمِ محبت کے اور وفاؤں کے
اسی بہار میں خیمے اُکھڑ بھی سکتے ہیں
تمھیں خبر ہے
ہوا رُخ بدل بھی سکتی ہے

THE WIND, TOO, CAN CHANGE DIRECTION

Do you know?
The wind, too, can change direction
The birds might leave their nests at dawn
And forget to find their way back
Sometimes in spring the tree branches out
Before autumn the leaves separate
Like the paths my life takes
Blown this way and that like dust
The strange smile taking shape on your lips
Says 'So, what's new?'
Of everything in the story, you are new
Do you know?
But how could you know this?
Your encampment of love and faith
Could blow away like dust
The wind, too, can change direction

زندگی سے نباہ کرتے رہے
شعر کہتے رہے، سُلگتے رہے

تیرا آنا تو خواب تھا لیکن
ہم چراغوں کے ساتھ جلتے رہے

کیا بتائیں کہ اب کے ساون میں
ہم تجھے کتنا یاد کرتے رہے

شہروالو! ہوا کی بستی میں
پھُول، خُوشبو، چراغ کیسے رہے

تم نے جگنو سے دوستی کر لی
ہم ستارے تلاش کرتے رہے

وصل جن کو نصیب ہو نہ سکا
ہجر کی داستان لکھتے رہے

Kept on compromising on life
kept reciting poetry, kept blazing

I burned down with the lamps
Your arrival was only a dream

I cannot explain how much I remember
Of you in this monsoon

City people! Did the breeze convey
Our village of flower, scent and lantern?

You befriended the firefly
We kept searching for stars

Those who could not know union
kept writing the story of separation

کِتنا مُشکل ہے زندگی کرنا
جس طرح تجھ سے دوستی کرنا

اِک کہانی نہ اور بن جائے
تم ذرا بات سرسری کرنا

ڈوُب جاؤں نہ میں اندھیروں میں
اپنی آنکھوں کی روشنی کرنا!!

کِس قدر دِل نشیں سا لگتا ہے
بے اِرادہ تجھے دُکھی کرنا

خونِ دل صرف کرنا پڑتا ہے
دیکھنا! تم نہ شاعری کرنا

کِتنا دُشوار ہے انا کے لیے
سارے ماحول کی نفی کرنا

How hard it is to manage life
As hard as making you my friend

There might be a whole new story
Please get to the point

I might drown in these shadows
Please light your eyes!

I am compelled by how it feels
To make you sad yet unaware of your sadness

One must give blood from the heart
Watch out! Do not write poetry

How hard it is for the self
To deny what it all means!

نہ کوئی خواب نہ سہیلی تھی
اِس محبّت میں میں اکیلی تھی

عشق میں تم کہاں کے سچّے تھے
جو اذیّت تھی ہم نے جھیلی تھی

یاد اب کچھ نہیں رہا لیکن
ایک دریا تھا یا حویلی تھی

جس نے اُلجھا کے رکھ دیا دل کو
وہ محبّت تھی یا پہیلی تھی

میں ذرا سی بھی کم وفا کرتی
تم نے تو میری جان لے لی تھی

وقت کے سانپ کھا گئے اُس کو
میرے آنگن میں اِک چنبیلی تھی

اِس شبِ غم میں کِس کو بتلاؤں
کِتنی روشن مِری ہتھیلی تھی

There was a time when I loved alone
Without dream or friend

There was a time when your love was untrue
When I endured such torment that

I don't remember anything now but
There was a river . . . or a villa . . .

You confused my heart so much
That love shrank to a riddle

Yet had I been the slightest bit disloyal
You would almost have taken my life

Time is like the snakes
Devouring the jasmine in my courtyard

Who can I tell, this sad evening
How bright the line of fate once was on my hand?

ایک دل تھا سو وہ بجھ گیا، روشنی
روشنی اے خدا، اے خدا روشنی

کچھ بھی کہہ لیں تجھے سب تِرے نام ہیں
پھول، خوشبو، ستارے، صبا روشنی

شب کے آنگن میں جب شام گِرنے لگی
کون تھا دِل میں جس نے کہا روشنی

اب ستارے سجانے سے کیا فائدہ
اُس سے ملنے کا موسم گیا روشنی

شب کے ماتھے پہ کل جانے کس خواب میں
اپنی آنکھوں سے میں نے لکھا روشنی

گِھر گئے کیسے دوہرے عذابوں میں ہم
رہنا شب میں مگر سوچنا روشنی

There was a heart that burnt out: light
Light O god, O god light

Flower, perfume, stars, breeze: light
These are your names, no matter how we shape you

When afternoon rose on the evening's horizon
Who was it in my heart who said: light

Now there is no point in adorning the stars
The season of meeting him is gone: light

Dawn broke on a dream in which
I wrote simply by looking: light

The two curses we are trapped between:
How we live in darkness, how we imagine: light